Zékéyé et le serpent python

Nathalie Dieterlé

Zékéyé
et le serpent python

méthode de lecture CP

*Pour Jean Tassé,
Jacobine Ouandji
et Moïse Djohou.*

Il était une fois, en Afrique, il y a très
longtemps, un serpent python. Il vivait dans
un pays qui s'appelle le Cameroun et
une région qu'on appelle le Bamiléké.
C'était un python mangeur d'hommes et tout
le monde avait peur de lui.

Il mangeait toujours les hommes de la même
façon : il les avalait tout rond
en commençant par les pieds.

Bien entendu, les habitants de cette région,
les Bamilékés, avaient trouvé un truc pour ne
pas être mangés : ils s'endormaient
les jambes écartées.

Le python gobait d'abord une jambe puis,
se trouvant bloqué, il renonçait à sa proie et
disparaissait tout dépité.

La vie n'était cependant pas drôle pour
cette tribu.

Le danger restait présent et tout le monde
se moquait des Bamilékés qui faisaient
la sieste d'une si curieuse façon.

Il était une fois, il y a très longtemps, dans cette même région, un petit garçon qui s'appelait Zékéyé.

Zékéyé était tout petit.

Il était plus petit que sa sœur Itïtï,
plus petit que le singe de Cocodi,
plus petit même que le plus petit des arbustes.

Personne ne faisait attention à lui et il était
très malheureux.

« Il faut que je leur montre de quoi je suis capable, se dit un jour Zékéyé.

Je suis petit, c'est vrai, mais je suis brave et je le prouverai.

Je débarrasserai la tribu de son plus terrible ennemi : je vais tuer le serpent python.

Quand j'aurai accompli cet exploit, plus personne ne pourra m'ignorer. »

Rempli de courage

et d'audace, Zékéyé se mit aussitôt en chasse…

mais il (comprit) vite qu'il aurait besoin d'aide.
Il alla trouver le guerrier le plus fort.

« Je vais te montrer, répondit celui-ci.
Rien ne résiste à ma machette, car je suis le
plus fort ! »

Hélas ! le python était plus fort encore.

Zékéyé alla trouver le guerrier le plus rusé.
« Je vais te montrer, répondit celui-ci.
Je connais la recette d'une potion que
les pythons adorent : cela s'appelle le Dolé.
Grâce à ce mélange, je ferai tomber le serpent
dans un piège, car je suis le plus rusé ! »

Hélas ! le python était plus rusé encore.
Il se régala de Dolé.

18

Zékéyé ne se découragea pas pour autant.
Il alla trouver le guérisseur de la tribu,
le grand sorcier Boutou qui sait soigner
les gens et les changer en cailloux.

« Zékéyé, Zékéyé, dit le grand sorcier.
Sois malin comme une araignée.
Tu es tout près du but.
Écoute bien ceci : seules les feuilles de
bananier peuvent te protéger des morsures
et de la salive du serpent python. »

Zékéyé quitta le sorcier en le remerciant,
puis il réfléchit.

Le lendemain, il s'assit sous un arbre,
les jambes écartées. À côté de lui, il avait
disposé des feuilles de bananier, du Dolé et
une machette.

Comme le lui avait suggéré le sorcier,
il s'entoura les jambes de feuilles de
bananier.

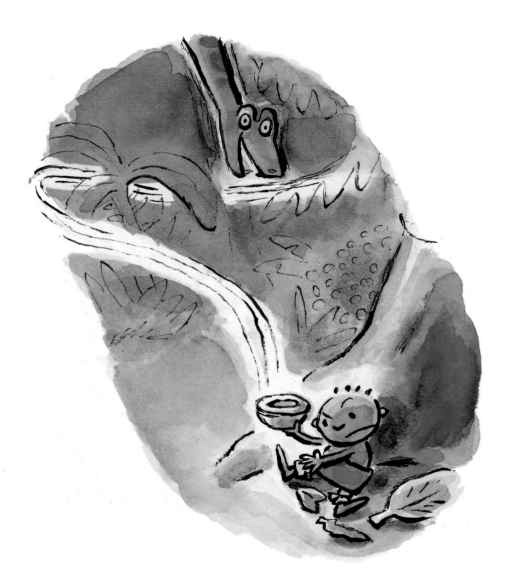

Puis il versa le Dolé sur ses jambes pour
attirer le serpent,

24

comme avait fait le guerrier le plus rusé.

Terrible, le python s'approchait de Zékéyé.
Il ouvrit grand la bouche et…

Zékéyé lui trancha la tête avec sa machette,
comme aurait fait le guerrier le plus fort.

Zékéyé libéra sa jambe et rentra chez lui,
rempli de fierté.

Plus personne ne le trouvait petit.
On l'acclama, on le porta en triomphe et une
grande fête fut organisée en son honneur.

Débarrassée du serpent python, la tribu des Bamilékés put enfin goûter le bonheur de longues et paisibles siestes.

Grâce à ses nouveaux bijoux en serpent,
la maman de Zékéyé fut élue la plus belle
maman de l'année.

Imprimé en France par Pollina, 85400 Luçon - n° L20827
Dépôt légal n°15630 - Mars 2007